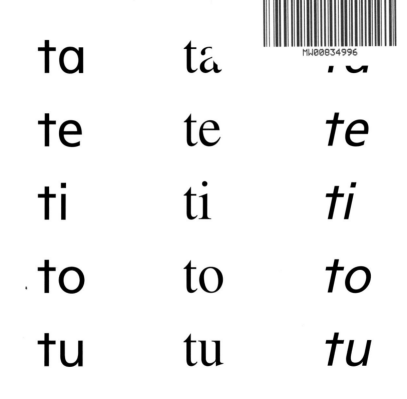

tazón

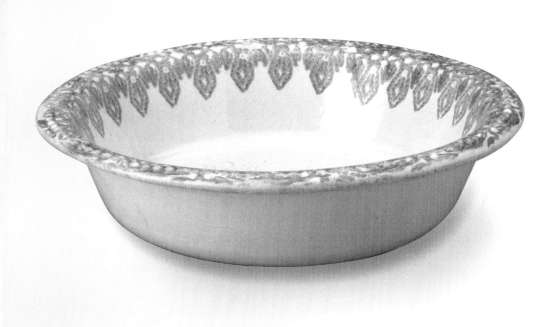

tambor

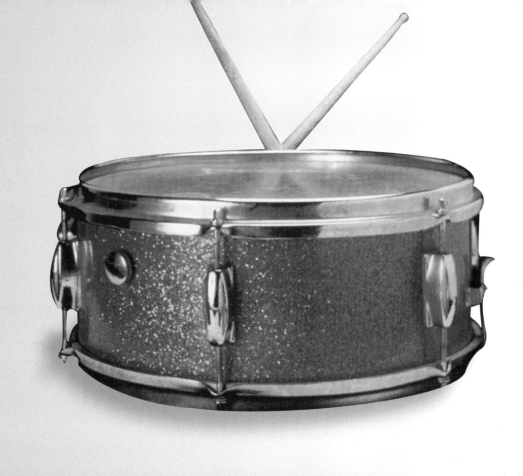

tenedor

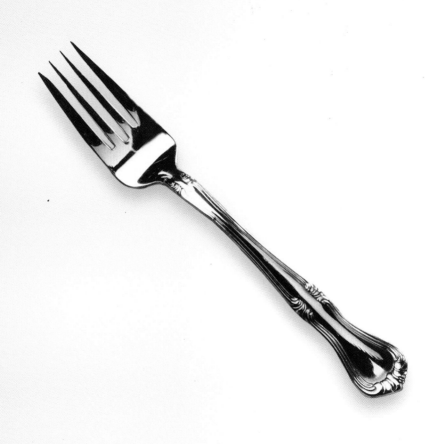

telaraña

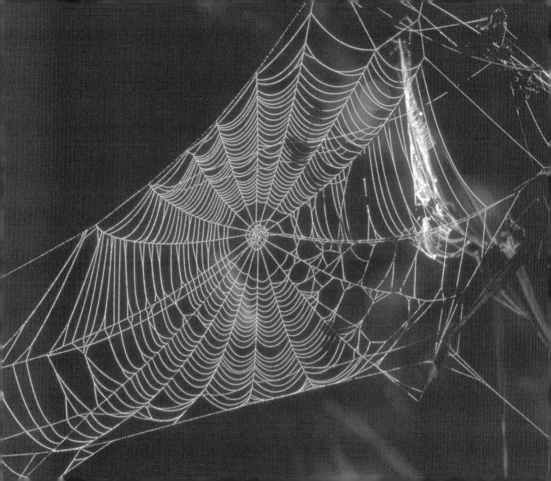

televisor

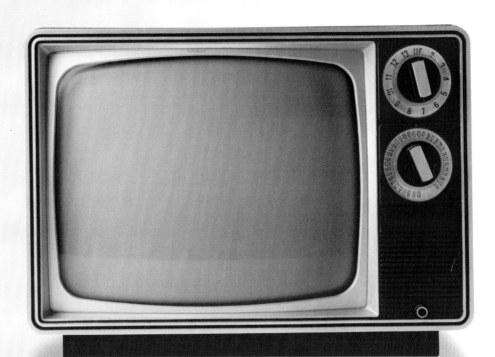

títeres

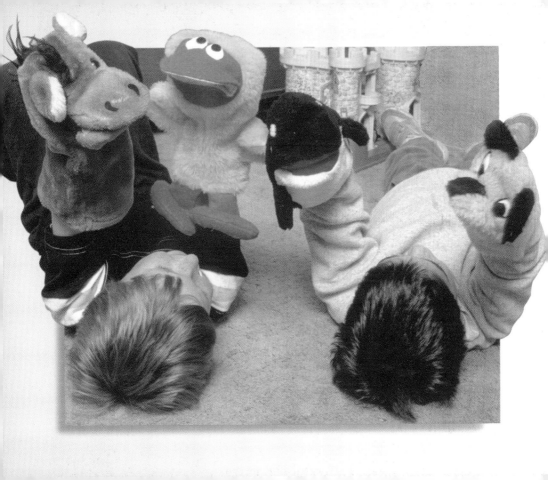

tiburón

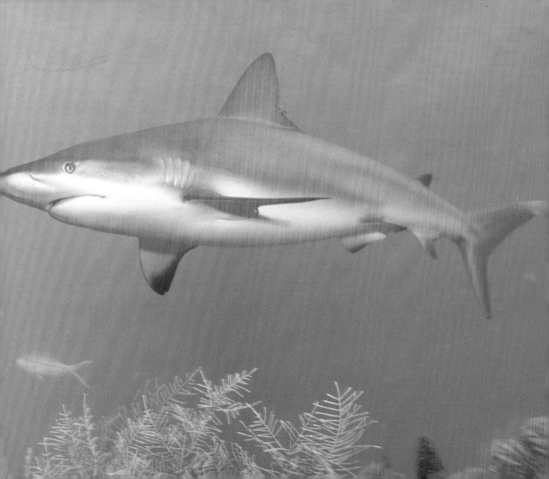

tocino

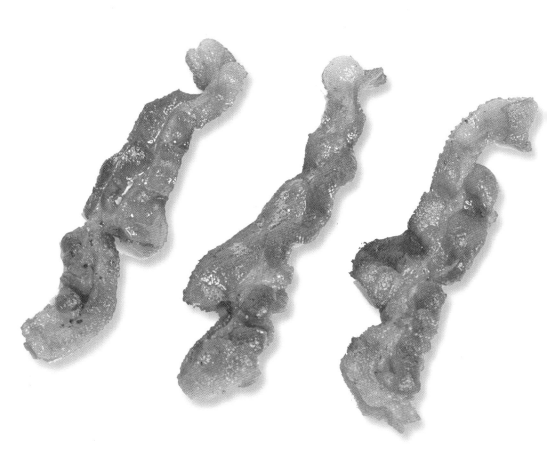

tobogán

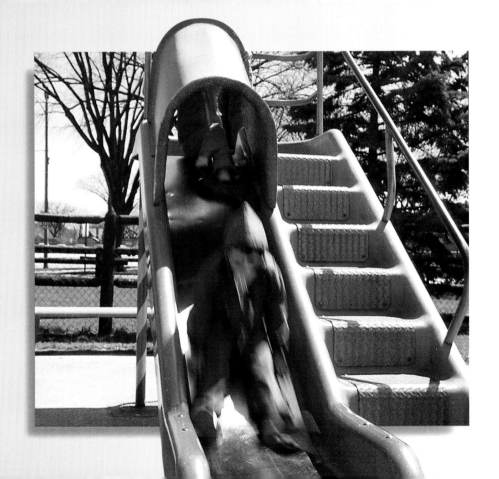

tuba

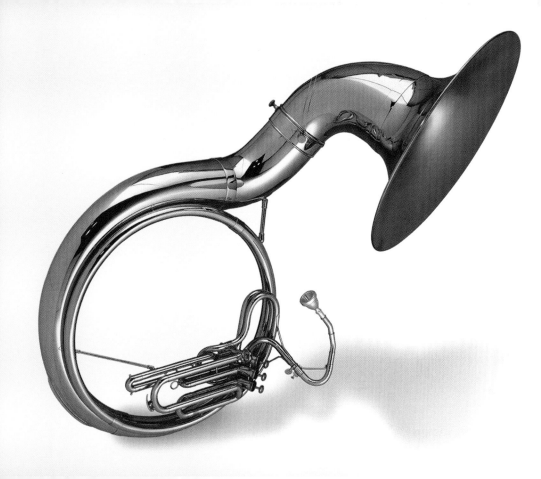

tulipán

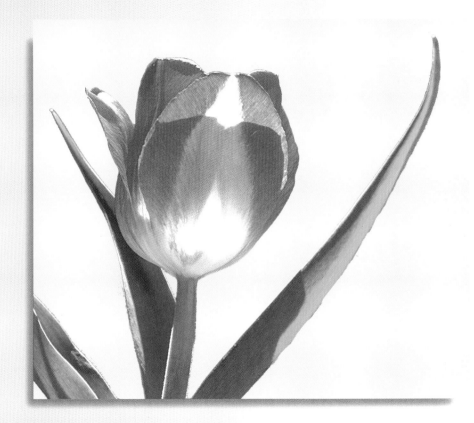

Un tiburón sabroso

Tulia preparó tiburón
con tomate en un tazón,
y lo sirvió en taza y plato,
con cuchillo y tenedor.